Openbare Bibliotheek
Cinétol
Tolstraat160
1074 VM Amsterdam
Tel.: 020 – 662.31.84
Fax: 020 – 672.06.86

BESTE KNAAGDIERVRIENDEN, MAAK KENNIS MET DE

OERKNAGERS

MUIZENISSIGE AVONTUREN UIT DE STEENTIJD!

Welkom in de steentijd ... de wereld van de prehistorische holknagers!

Hoofdstad: **Rotsfort**
Bewoners: Niet te veel en niet te weinig (niemand had zin om de bewoners te tellen!). Naast knagers wonen er ook nog een heleboel dinosauriërs (brrr!), sabeltandtijgers (zo gevaarlijk dat eentje al te veel is) en grotberen (die niemand ooit heeft durven tellen!).
Voedsel: Oerpap
Feestdagen: De dag van de **Grote Donder**, waarop de uitvinding van het vuur wordt herdacht. Een dag waarop knagers elkaar cadeautjes geven.
Drank: Slurfeel, dit is mammoetmelk met een scheutje citroen en een snufje zout, aangelengd met water.
Klimaat: **Onbetrouwbaar**, op de regelmatig voorkomende meteorietbuien na.

OERPAP

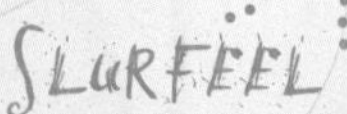

Geld:

Ulken en wulken;
schelpen van verschillende grootte en kleur.

Maten:

Staartlengtes
(halve staart, kwart staart).
De lengte van een staart wordt bepaald door de lengte van de staart van het dorpshoofd. Als knagers het niet eens kunnen worden, vragen ze zijn staart te leen.

OERKNAGERS

GERONIMO
Klem
Thea
Benjamin
Pandora
Speurneus
Oma Wervelwind

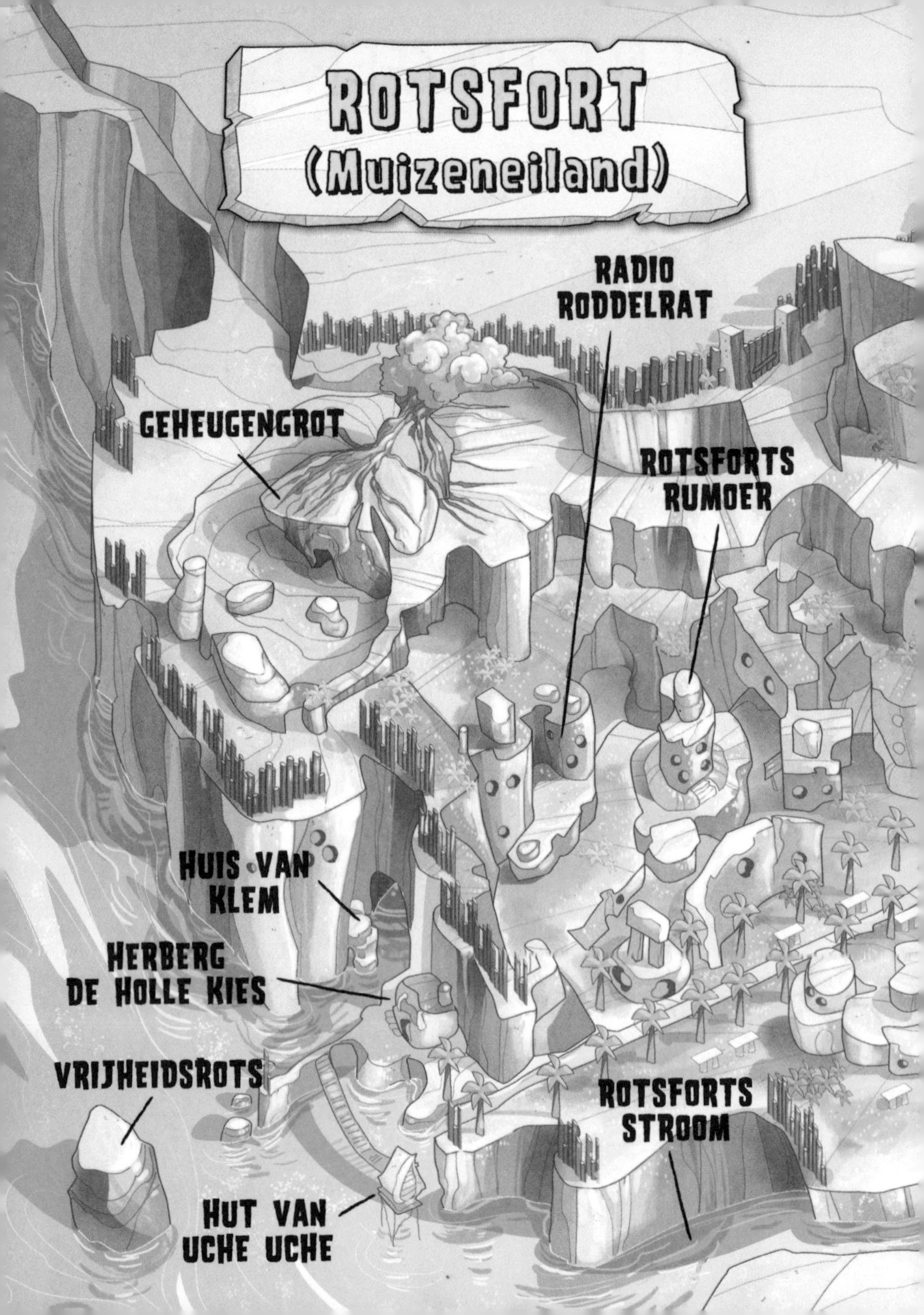
ROTSFORT
(Muizeneiland)
RADIO RODDELRAT
GEHEUGENGROT
ROTSFORTS RUMOER
HUIS VAN KLEM
HERBERG DE HOLLE KIES
VRIJHEIDSROTS
ROTSFORTS STROOM
HUT VAN UCHE UCHE

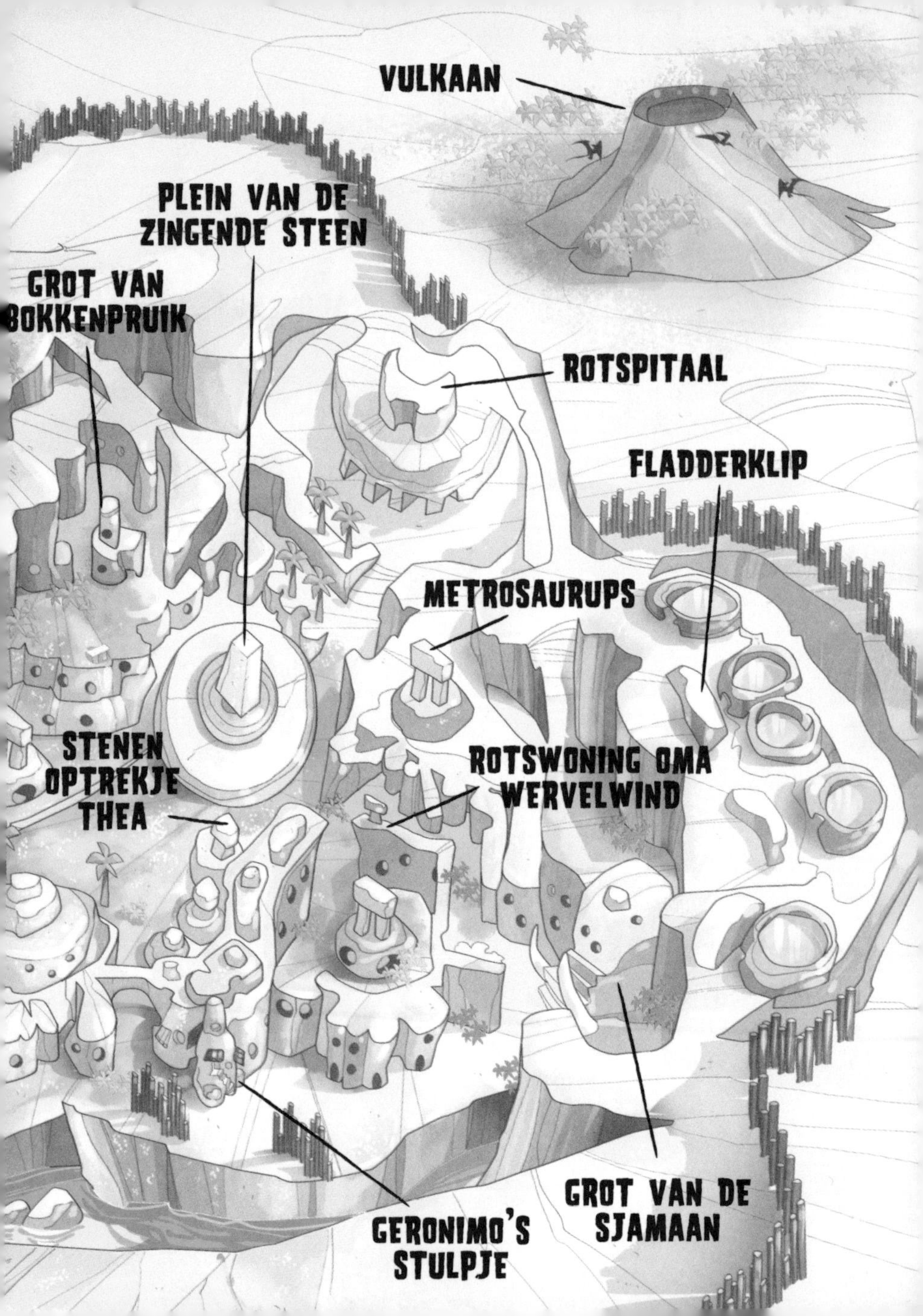
VULKAAN
PLEIN VAN DE ZINGENDE STEEN
GROT VAN BOKKENPRUIK
ROTSPITAAL
FLADDERKLIP
METROSAURUPS
STENEN OPTREKJE THEA
ROTSWONING OMA WERVELWIND
GERONIMO'S STULPJE
GROT VAN DE SJAMAAN

Geronimo Stilton

WIE HEEFT DE VUURSTEEN GESTOLEN?

Geronimo Stilton is een wereldwijd beschermde merknaam.
Alle namen, karakters en andere items met betrekking tot Geronimo Stilton zijn het copyright, het handelsmerk en de exclusieve licentie van Atlantyca SpA. Alle rechten voorbehouden.
De morele rechten van de auteur zijn gewaarborgd.

Gebaseerd op een idee van Elisabetta Dami.

Tekst:	Geronimo Stilton
Oorspronkelijke titel:	Via le zampe dalla pietra di fuoco!
Oorspronkelijke ontwerp en omslagillustratie:	Flavio Ferron
Illustraties binnenwerk:	Giuseppe Facciotto *(ontwerp)* en Daniele Verzini *(kleur)*
Vertaling:	Loes Randazzo
Redactie:	DWM
Zetwerk:	Sandra Kok | vormgeving & opmaak

© 2011 Edizioni Piemme S.p.A, Via Tiziano 32, 20145 Milaan, Italië
www.geronimostilton.com
© Internationale rechten: Atlantyca S.p.A, Via Leopardi 8, 20123 Milaan, Italië
www.atlantyca.com - contact: foreignrights@atlantyca.it
© Nederland: Bv De Wakkere Muis, Amsterdam 2012 - NUR 282/283
ISBN 978-90-8592-177-6
© België: Baeckens Books nv, Uitgeverij Bakermat, Mechelen 2012
ISBN 978-90-5461-876-8 D/2012/6186/03

Stilton is de naam van een bekende Engelse kaas. Het is een geregistreerde merknaam van The Stilton Cheese Makers' Association Wil je meer informatie ga dan naar www.stiltoncheese.com

Niets uit deze uitgave mag worden verveelvoudigd en/of openbaar gemaakt, op welke wijze dan ook, elektronisch, mechanisch, inclusief fotokopiëren en klank- of beeldopnames of via informatieopslag, zonder voorafgaande schriftelijke toestemming van de uitgever.

Eeuwen geleden ontstond er op het prehistorische Muizeneiland een stad, en die stad heette Rotsfort. Daar leefden oerknagers, oftewel holknagers, moedige Muizo sapiens!

Ze werden dagelijks door duizenden gevaren bedreigd: meteorietbuien, aardbevingen, uitbarstende vulkanen, vleesetende dinosauriërs en ... sabeltandtijgers!

De oerknagers waren moedig en behulpzaam, maar wat niet minder belangrijk was: ze hadden humor.

Dit boek is het eerste boek ooit over hun geschiedenis. Het werd geschreven door Geronimo Stilstone, een verre, verre voorouder van me.

Zijn verhalen, die in rotsen zijn gebeiteld en geïllustreerd met graffiti, zijn zo muizenissig dat ik ze graag aan je door wil vertellen! Ik verzeker je: ze zijn net zo spannend en grappig als mijn eigen verhalen, zowaar ik Geronimo Stilton heet!

Lees maar!

Geronimo Stilton

Waarschuwing!

Probeer de oerknagers niet na te doen ...
We leven niet meer in de steentijd!

Beste knaagdiervrienden, hopelijk vinden jullie dit verhaal LEUK, ik hak het met een beitel, woord voor woord, in STEEN. Mijn trommelvliezen zijn bijna kapot getrommeld.

zo'n lawaai maakt dat, al heb ik oorbeschermers van sneeuwluipaardbont op mijn kop!
O sorry, ik zal mij eerst eens even netjes voorstellen. Mijn naam is Geronimo, GERONIMO STILSTONE, en zoals jullie waarschijnlijk allemaal wel weten (en anders vertel ik het jullie nu), ben ik een holknager die in **Rotsfort** woont.
Ik geef de krant (dat wil zeggen een gebeiteld steentablet) *Rotsforts Rumoer* uit, de meest gelezen krant van Rotsfort: we beitelen er één voor elk hol in Rotsfort!
Ja, dat is een zware klus, maar leven in de **PREHISTORIE** is nu eenmaal zwaar.
Onze tijd heet de **STEENTIJD,** en dat is niet voor niets!
Elke dag opnieuw moeten we ons hachje, *eh* VACHTJE zien te redden.

Ook die morgen had ik, voordat ik mijn stulpje uitging, zoals elke dag aan mijn TESTAMENT gewerkt. Je weet tenslotte niet wat je allemaal kan overkomen!
Er kan zomaar een **meteoriet** op je kop vallen, of je wordt meegesleurd door een kokende LAVASTROOM! Of de TIJGER Khan Clan valt de stad binnen met zijn regiment sabeltandtijgers. Of nog erger … je komt een T-REX tegen die op

je staart trapt, of je begraaft in een enorme berg T-rexstront (zo wil je als knager echt niet sterven!). Maar het allerergste is de Grote Donder, die zomaar kan inslaan en je met zijn vuurtongen kan **VERSLINDEN!**

En dan heb ik het nog niet eens over de alledaagse dreigingen: zelfs een brief ontvangen is levensgevaarlijk. Dat is dan weer de schuld van de posterosaurus, die heeft namelijk de akelige gewoonte de brieven, die ook van steen zijn, naar je kop te gooien!

Sorry, waar had ik het ook alweer over? O ja ... mijn TESTAMENT ... Ik schilder het hier, voor iedereen zichtbaar, in de ingang van mijn stulpje ... en zo af en toe werk ik het bij en vul ik het aan.

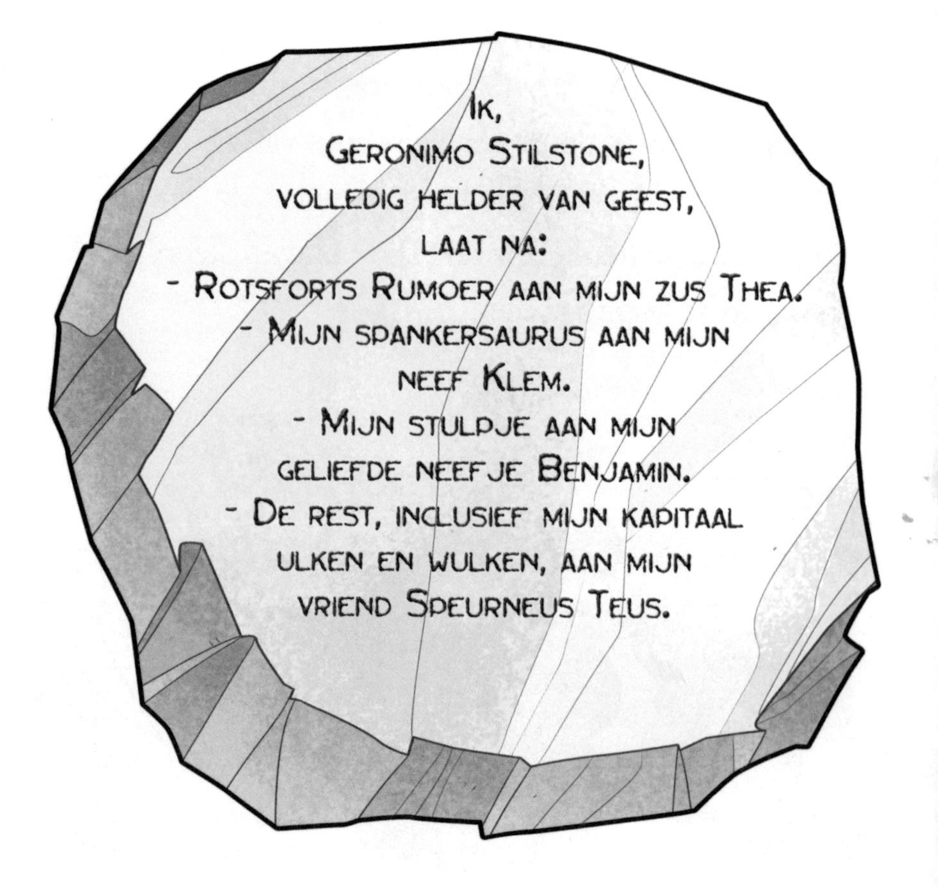

Op de wand naast mijn testament staan mijn familie en vrienden **geschilderd!**

Dat heb ik door de plaatselijke kunstschilder Graffitix laten doen, om ze altijd bij me in de buurt te hebben.

Ach, als ik mijn **familie** toch niet had … Dat ik nog niet **UITGESTORVEN** ben, heb ik aan hen te danken!

Ik zal je mijn familie even voorstellen …

Die met dat knotje op haar kop en die knots in haar poot is mijn **oma Wervelwind:** een potige knagerin in alle opzichten. Ze **MOPPERT** vaak op me, maar ze zegt dat ze dat voor mijn eigen bestwil doet ...
Die dikke muis, die aan mijn rechteroor trekt, is mijn neef **Klem:** hij kan het niet laten me voortdurend in de **maling** te nemen! Maar

ik moet eerlijk zijn: hij is een voortreffelijke KOK! Hij is de eigenaar van herberg De Holle Kies en zijn specialiteit is oerhammetjes gevuld met vers gevangen KAKKERLAKKEN ...
Links van mij (voor de kijkers rechts), staat mijn zus Thea, een zeer energieke muizin!
Ze is verslaggeefster bij het *Rotsforts Rumoer* en ze is altijd onderweg, op zoek naar een PRIMEUR!
En helemaal vooraan staat mijn lievelingsneefje Benjamin, een knagertje dat je HART doet smelten!

Een ochtend vol gevaar ...

In Rotsfort op Muizeneiland was de ochtend, zoals gewoonlijk, vol gevaar.

Het was zo'n ochtend waarop je denkt: ga ik hem overleven of sterf ik vandaag?!

Nadat ik mijn testament nog even had doorgelezen, stak ik mijn snuit buiten de grot en keek ik omhoog om te controleren of het geen meteorieten of brieven REGENDE. Gelukkig was er geen meteoriet of posterosaurus te bekennen!

Ik liep naar de kantoorgrot van het *Rotsforts Rumoer,* waar mijn medeknagers al druk aan het beitelen waren.

BENG! BENG! BENG!

Ik begroette iedereen en verdween naar mijn denkkantoor.

Wat ik daar doe? Alleen maar denken, denken, denken ... en nog eens denken!

Nadat ik heel lang en heel diep had nagedacht, pakte ik mijn BEITEL en begon te ... beitelen. Een zware klus!

Mijn zus kwam die ochtend, zoals altijd, op de rug van haar dinosaurus naar kantoor, een

1
2
BENG!
3
4
5
BENG!
BENG!

MOMPEL MOMPEL ...
7
6
1. STEENTABLETTENBIBLIOTHEEK
2. BEITELSTEE
3. PREHISTORISCH WATERRESERVOIR
4. GEREEDSCHAPPEN
5. REDACTIE
6. KLEURPELIKANEN
7. DENKKANTOOR

raptor die luistert naar de naam Luimpje. Het is een huisdinosaurus, maar ik blijf er toch een beetje bij uit de buurt. Het blijft tenslotte een vleeseter (af en toe zie ik hem op iets kauwen)!
Mijn staart is me lief ... mijn **vacht** trouwens ook, dus kijk ik liever op afstand naar hem!

Zodra hij me zag, gaf Luimpje een luide grom en daarna kloof hij weer vrolijk verder aan het bot van een geroosterd hammetje.
Ik mopperde: 'Hé, dat was mijn ONTBIJT!
Thea, ik heb je nog zo gezegd dat beest bij me uit de buurt te houden!'
'Ach, het is toch maar een lief klein raptortje!
Hij heeft zijn MELKTANDJES nog!'

schamperde Thea en ze parkeerde het beest vlak voor mijn schrijfsteentafel.
'Trouwens … kun je even op hem passen? Ik moet naar de kapper. Ik ben vandaag uitgenodigd op een Kluifparty!'
Thea had zich nog niet omgedraaid of Luimpje had al een van mijn oren te pakken. Maar toen mijn zus weer keek, deed hij snel alsof er niets

aan de poot was en kroop hij lief tegen haar aan.
Ik bromde: 'Au! Je kunt me wat met die melktanden, dat zijn volwassen VLEESHAKKERS!'
Thea wuifde mijn commentaar weg met haar poot. Ze verliet mijn denkkantoor, en Luimpje …
beet me in mijn achterste!
Dit werd me teveel van het goede: ik pakte mijn beitel en probeerde hem daarmee op afstand te houden: 'Blijf waar je bent, uit de kluiten gewassen derderangsreptiel, MONSTERLIJK wezen, grote griezel!'
Bij wijze van antwoord, stak Luimpje zijn tong naar me uit: 'PRRRRRRR!'
Hij sprong als een gek heen en weer en op en neer, en richtte daarbij een enorme puinhoop aan. De STENEN waarin ik net had gebeiteld vielen kapot. Ik opende de jacht op Luimpje en probeerde zijn staart met mijn knots te raken.

'Blijf staan, sloopdino!' Maar het resultaat was dat hij mijn massieve schrijfsteentafel bijna **verbrokkelde,** de buste van oma Wervelwind omzwiepte met zijn staart (gelukkig kon ik het nog net opvangen) en de complete voorraad ulken en wulken (die ik had gespaard voor "je weet maar nooit"-nood-situaties) tot gruis verpulverde. Dat reptiel met zijn vleeshakkers wist aan

al mijn aanvallen te ontkomen!
Ik bleef even staan om op ADEM te komen en keek om me heen.
O, nee! Mijn hele denkkantoor was één grote chaos, alsof er een meteoriet was **ingeslagen!**
En zelf was ik ook **KAPOT!** Al mijn noeste arbeid voor niets, van de kranten was niets meer over behalve een berg brokken!
Ik zwaaide getergd met mijn knots en brulde:

'Derderangs REPTIEL, als ik je te pakken krijg, maak ik biefstuk van je, en van je huid maak ik een rotsovertrek! Waar ga je heen ... blijf hier!'

Je zult het niet geloven ... maar zodra Thea weer kwam binnenlopen, zette Luimpje een dikke pruillip op en begon hij te jammeren.

Wel alle rappe raptors: wat een toneelspeler!

Thea sloeg haar poten over elkaar en vroeg boos: 'Schaam je je niet, Geronimo? Om dat onschuldige beestje zo de stuipen op het lijf te jagen!'

Ik probeerde haar uit te leggen dat haar "onschuldige beestje" eigenlijk een MONSTER was, een bijtgraag monster! Maar Thea luisterde niet naar me en liep beledigd weg.

Toen ze buiten stonden, draaide Luimpje zich snel om en stak hij zijn tong uit: 'PRRRRR!'

Ik ging maar weer achter mijn schrijfsteentafel zitten, of wat daarvan over was, en probeerde me te concentreren op het beitelen van het laatste **NIEUWS!**

Wat een ochtend!

Toen ik klaar was met hakken en houwen, liep ik naar mijn GALOPOSAURUS, die ik gebruikte als vervoermiddel om van A naar B te komen.

Ik schrok toen ik zag dat er een parkeerbon om zijn nek hing. Dat ontbrak er nog maar aan!

Op de BON stond:

> VERKEERSAMBT VAN ROTSFORT:
>
> SLIMKNAGER, JE STAAT MINSTENS EEN KWART STAART BUITEN DE LIJN GEPARKEERD! DAT KOST JE EEN BOM ULKEN EN WULKEN, NAMELIJK 235. ALS JE NIET ONMIDDELLIJK BETAALT, KOMT DE BOETE-OPSTRIJKER BIJ JE LANGS OP ZIJN T-REX!

OEF!
O, NEE!

Bij het idee dat de boete-opstrijker met zijn angstaanjagende T-rex langs zou komen, trilden we van **ANGST**, galoposaurus en ik.
Het gerucht gaat dat je staart wordt afgebeten als je niet betaalt, hap!

**MIJN STAART IS ME VEEL TE LIEF ...
BLIJF DAAR DUS MAAR VAN AF!**

Ik ging in het zadel zitten en mopperde tegen mijn galoposaurus: 'Had je niet even een stap opzij kunnen doen voordat je een boete kreeg?!'

'Jij zei toch dat ik moest blijven staan waar ik stond!' antwoordde hij BRUTAAL.

GALOPOSAURUS

BRULBOEI
Vliegend reptiel met een harde stem, dient als bel voor de galoposaurus

TANK
Gevuld met Superbrokken of smoothies, altijd handig

PASSAGIERSZADEL
Zitplaatsen voor passagiers

TEUGELS
Om de galoposaurus te besturen

AANDRIJFPOOT
Voorzien van lange nagels voor een eventuele noodstop

ZADEL
Voor de berijder

Met galoposaurussen valt niet te praten!
'Ah, en waarom vertrek je nu niet?' vroeg ik hem op barse toon. De galoposaurus sloeg een paar keer ongeduldig met zijn staart op de grond, waardoor er een grote stofwolk ontstond, en zei: 'Ben je niet iets vergeten?'
WAT STOM WAS IK TOCH! Ik was helemaal vergeten hem een oer-fruitsmoothie te geven (mijn galoposaurus is een herbivoor en eet alleen fruit en groenten!). Gelukkig heb ik altijd een extra voorraadje bij de poot.
'Hier!' zei ik. 'Slurp dit maar op! En hou je staart stil, anders komt de T-rex nog achter ons aan voor STOFVERVUILING!'
De galoposaurus slurpte de dinosmoothie weg en zette zich in beweging.
Ik kon nog maar net op tijd de teugels grijpen en in het zadel springen.

Hij RENDE weg, de enige weg van Rotsfort op. Het was er al druk en overal klonken de *KRETEN* van de brulboeien op de koppen van de galoposaurussen die wilden oversteken of inhalen.

BRRRRRUL! BRRRRRUL!

Even later stonden we in een oneindig lange file, veroorzaakt door een sloomknager.

'O, NEE!' riep ik. 'Daar gaan we weer!' En inderdaad, het was de oude Cato Senior, op de rug van zijn GROTE schildpad, die altijd het verkeer ophield als hij ging parkeren.

De brulboei van mijn galoposaurus begon luid

te **brullen** om er door te kunnen. Maar het had geen enkel effect! Op dat moment hoorde ik achter me een bekende stem. Het was mijn vriend Speurneus Teus, die **KRIJSTE:**

'Aan de kant!'

Hij botste tegen me aan, en ik klapte daardoor tegen een galoposaurus met een grote vracht **tomaten,** die vervolgens één voor één

op mijn kop uiteen spatten!
Omdat ik geen poot voor ogen zag,

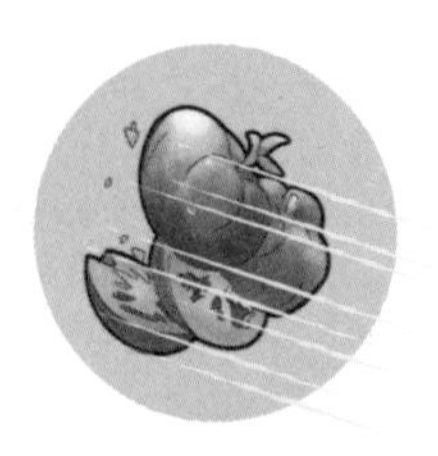

struikelde ik vervolgens tegen een afgeladen kaasdino aan, en om de chaos compleet te maken knalden we ook nog op een

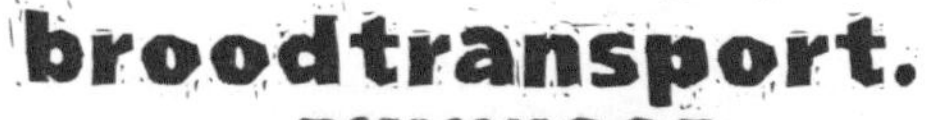
broodtransport.

Toen ik uit de PUINHOOP herrees en om me heen keek, stond Speurneus

PLOF ... DE TOMATEN ...
... DE KAAS ...
KNAL
... HET BROOD!
KNAL

lekker te smikkelen.
'Mmm, lekker!' riep hij.
'Tja, het lijkt erop dat ik de *oerpizza* heb uitgevonden!' lachte ik. Ik had het nog niet gezegd, of

het **NIEUWTJE** bereikte de oren van een roddelraper van Radio Roddelrat, het radiostation van **Ratja Rotsmuis**.
Ze zitten in een grot op een van de heuvels, van waaruit Ratja haar nieuws ... zeg maar *roddels*, verspreidt!
Dankzij haar rondreizende roddelrapers, die je overal in de stad kunt tegenkomen, is Ratja overal van op de hoogte.
Zodra een van de roddelrapers iets hoort,

BRULT hij het door naar zijn collega, die het weer verder **BRULT** naar de volgende, en die **BRULT** het daarna ook weer door … afijn je snapt het al, toch? Het is geen perfect systeem, want door al dat gebrul raken de berichten nogal eens **verdraaid**, en dan lijkt het nieuws nog maar weinig op het **oorspronkelijke** bericht.

Ik wilde net de roddelraper van Radio Roddelrat aanspreken toen ik een nagel in mijn schouder voelde.

Ik keek om en stond snuit aan

snuit met een T-REX,
een boete-opstrijker die
op het tumult was afgekomen.
De T-rex grijnsde: ‘Je hebt er een
mooie JANBOEL van gemaakt …
Wat doen we, betalen of bijten?’
Trillend stotterde ik:
‘Ik betaal, ik betaal …’

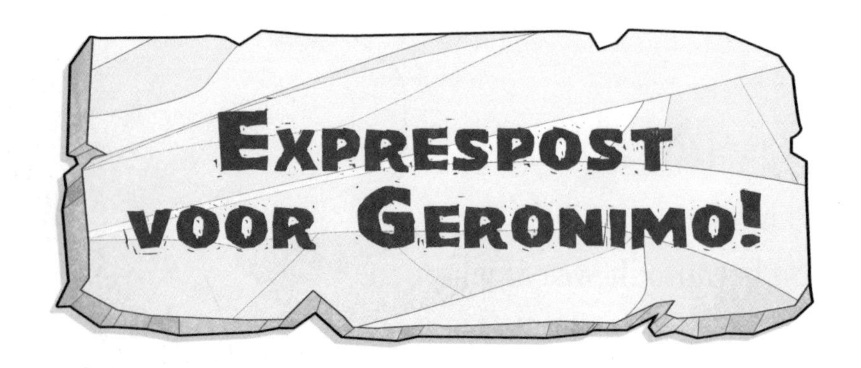

Speurneus kwam op me af en riep geschrokken: 'Betaal, Geronimo, betaal!'

Ik keek naar de scherpe TANDEN van de T-rex en rekende rattenrap af.

De boete-opstrijker had zijn hielen nog niet gelicht of Speurneus begon alweer verder te smikkelen.

'Wat een geluk dat ik tegen jou opbotste! Ik was naar je op zoek om je te vragen of ...'

Voor hij zijn vraag af kon maken, pakte ik mijn **reisknots** en zei ik dreigend: 'Wat een geluk dat je tegen mij opbotste?! Zie je niet wat er gebeurd is dan? Zal ik je hersens eens even opschudden?'

opschudden?'

Hij schamperde: 'Hou toch op! Er zijn veel belangrijkere dingen! Je moet met me meekomen! Het ROTSFORTS MUSEUM heeft een probleem. Vanochtend kreeg ik een noodoproep van de directrice ...'

Op hetzelfde moment voelden we een windvlaag, veroorzaakt door vleugelslagen, die werd gevolgd door een fluitsignaal en een schelle kreet ...

HET WAS DE POSTEROSAURUS!

Alle knagers zochten dekking. Ik was de enige die het niet haalde!

De posterosaurus brulde:

'POST! POST! POST!'

Er kwam een steentablet op mijn kop neer dat zwaar genoeg was om een mammoet mee uit te schakelen …

Er stond in gehouwen:

BERICHT VOOR SPEURNEUS EN ZIJN ASSISTENT

IK ZEI TOCH DAT JE ONMIDDELLIJK MOEST KOMEN! WAAR BLIJF JE TOCH?

Getekend: Fossilia Fossiel
Directrice van het Rotsforts Museum

Terwijl ik de enorme bult op mijn kop masseer-de, trok Speurneus me mee.

'We moeten OPSCHIETEN, anders krijgen we nog meer post … *eh stenen,* van Fossilia!'

Geschrokken sprong ik op: 'O nee, dat niet!

Kom op! Maar hoe komen we daar? Toch niet met de ...'

'... METROSAURUPS, natuurlijk!' vulde Speurneus aan.

Dus toch. Ik had het kunnen weten! Ik hou er niet van om met de metrosaurups te reizen, maar deze keer had ik geen keus: mijn **galoposaurus** lag nog bedolven onder de oerpizza's!

We daalden af in de metrogrot, gaven de BILJETKNIPPER een lekker stukje vers vlees en werden doorgelaten. We wachtten op de *gi-ga-gantische* RUPS die ons naar het museum zou brengen.

AU,
HIJ BEET ME!

METROSAURUPS
Een enorme prehistorische rups die zich in een onderaardse gang voortbeweegt. Wordt door de inwoners van Rotsfort gebruikt als vervoermiddel, om snel van A naar B te reizen. Bij iedere halte staat een conducteurknager die de rups een bananenblad voor de ogen houdt en onder de kin kietelt. Als de rups begint te lachen, stappen de knagers snel uit en in. Bij de volgende halte herhaalt dit ritueel zich.

De Metrosaurups arriveerde binnen een minuut. De **CONDUCTEUR** hield hem tegen door een groot bananenblad voor zijn ogen te houden. Hij **kietelde** hem zachtjes. De rups schoot in de lach en sperde zijn bek wijd open.

'Passagiers uitstappen!' brulde de conducteur.

Hij kietelde nogmaals en brulde:

'PASSAGIERS INSTAPPEN!'

We stapten in de metrosaurups, net op tijd, want de rups klapte zijn bek plotseling dicht. Hij ging OP en NEER, net als mijn maag trouwens, die ging ook … op en neer!

O, WAT WAS IK METROZIEK!

BLUB!

Eindelijk kwamen we op onze bestemming aan. Draaierig van misselijkheid liep ik achter Speurneus aan de trap op, naar buiten.

We kwamen voor de ingang van het museum uit, waar Fossilia Fossiel al ongeduldig op ons stond te wachten.

Doorbeitelen, Geronimo!

Fossilia was een lange, slanke knagerin, met een puntsnuit als een **TRICERATOPS**.

Ze keek me streng aan en zei: 'Ah, mooi zo! Ik zie dat jullie mijn berichtje ontvangen hebben! We hebben geen tijd te verliezen, ik zal jullie laten zien waar het gebeurd is. Ze hebben ons kostbaarste bezit gestolen: de **VUURSTEEN** ...'

Ze keek me nog eens aan, kneep haar ogen tot spleetjes en vroeg: 'Maar ben jij niet Geronimo, de uitgever van het *Rotsforts Rumoer?'*

Ik wilde net antwoorden, toen Speurneus zei: 'Ach, dat is mijn **ASSISTENT** maar ...'

Fossilia liep met ons mee naar de zaal waar de vuursteen had gelegen.
'Je maakt toch wel aantekeningen, Geronimo?' vroeg Speurneus me op **dwingende** toon.
Het liefst had ik hem een knal op zijn kop gegeven, maar ik had mijn **KNOTS** in de puinhopen achtergelaten. Er zat dus niks

anders op dan mijn notitiesteen te pakken en te beginnen met beitelen.
Speurneus deed heel gewichtig terwijl hij de aanwijzingen onderzocht en tegelijkertijd zijn bevindingen aan mij dicteerde.
'*Eh, vreemd* … Er ligt druipsteenstof op de vloer! Beitel, Geronimo, doorbeitelen!'
'Ja, ik beitel!'
'*Eh, vreemd,* die POOT afdrukken leiden naar het raam … Heb je dat, Geronimo? Heb je dat gebeiteld?'
Ik mopperde HEVIG: 'Ja, bijna, even … ik kan het niet bijhouden!'
'*Eh, heel vreemd* … Buiten, onder het raam, liggen **kapotte** stenen … Heb je dat, Geronimo?'
Ik had gebeiteld als een waanzinnige, de steensplinters vlogen me om de oren, maar nu

1. Platte wereldkaart (men wist toen nog niet dat de wereld rond was)
2. Oerknots
3. Beschilderd wiel
4. Oerhamfossiel
5. Kwast voor abstracte kunst
6. Vuursteen (verdwenen)
7. Skelet van een tyrannosaurus
8. Vinnesaurus marino
9. Skelet van de allereerste Muizo sapiens
10. Moderne beeldhouwkunst
1
2
3
4
5
6
7
8
9
10
Beitelen, Geronimo
Rotsforts Museum

verloor ik mijn geduld. 'Wat denk je wel niet dat ik ben, een typemachine?! Die is anders nog helemaal niet uitgevonden, hoor!'
Hij reageerde verontwaardigd: 'Die assistenten van tegenwoordig ook! Beitelaars zonder **RESPECT,** altijd maar klagen ...'
En weer had ik er spijt van dat ik mijn **KNOTS** niet bij de poot had.
Opeens voelde ik iets op mijn snuit druppelen:

Wat kon dat zijn?!
Eén ding was zeker: het **STONK** verschrikkelijk!
Ik keek omhoog en ontdekte meteen waar de druppels vandaan kwamen: in het plafond zat een **GAT** waaruit plakkerige hars kwam …
Ik **WEES** erop. 'En dat, wat is dat? Volgens mij zijn de inbrekers **DAARLANGS** gekomen!'
Speurneus gebaarde dat ik stil moest zijn: 'Stil, jij kwaakknager! Je bent mijn **ASSISTENT** maar, als er iemand piept, ben ik het!'
Hij draaide zich zwierig om naar Fossilia en herhaalde wat ik gezegd had: 'Volgens mij zijn de boeven

HIERLANGS gekomen!' Hij wreef over een druppel, die super plakkerig aanvoelde. Hij rook eraan en riep triomfantelijk: 'Simpel, pieper! Dat is vers DINOCEMENT, een superkleverig goedje: guano van een pterodactylus, pies van een glutonsaurus en hars van een rubberboom!'

Ik rilde. WAT EEN BRIJ!

Speurneus kwam op me af lopen en bestudeerde de druppels op mijn snuit. 'Aha!' zei hij. 'Ik dacht al zoiets! Er zitten kleine vliegjes door … dat is een soort die alleen in het Morsig Moeras voorkomt!'

Voor ik hem ook maar een vraag kon stellen (want ik begreep er echt niets meer van!), gaf Speurneus al een seintje dat ik hem moest volgen, het dak op. Daar vonden we sporen van … dikke KATTENPOTEN!

'Ik weet hoe het zit!' riep Speurneus. 'Ze hebben zich van het dak naar beneden GESTORT, hebben de vuursteen gepakt, daarna het gat dichtgesmeerd met dinocement en zijn er vervolgens door het raam VANDOOR gegaan! Heb je dat, Geronimo? Niet alleen in steen gebeiteld, maar ook begrepen?'

SIMPEL, PIEPER!

Herberg De Holle Kies

Speurneus somde alle AANWIJZINGEN nog eens op, maar ik begreep er geen sikkepiep van!

'En, dus? Wie heeft die vuursteen dan gestolen?' vroeg ik VERBAASD.

Hij keek wanhopig. 'Heb je het nu nog niet begrepen? Wat een sufkop ben je toch! De VUURSTEEN is gestolen door een kat-achtige. Niet zomaar een katachtige, maar een slimme, lenige, sterke kat. Hij was alleen op de vuursteen uit, want verder is er niets weg.'

'Wie zou die KAT kunnen zijn?' vroeg Fossilia.

Speurneus gaf haar een knipoog. 'Dat is nog een MYSTERIE, maar dat lossen we wel op!' Hij bromde: 'Hmm… we hebben informatie nodig … er is maar één plaats waar je die kunt krijgen in Rotsfort: in HERBERG DE HOLLE KIES! De baas daarvan is een man, *eh muis,* die als hij eenmaal begint te praten zijn snuit nooit meer dichtdoet … Het duizelt me vaak van zijn praatjes!'

'Weet je ...' wilde ik hem onderbreken.
'Het is een ONUITSTAANBARE knager!' deed Speurneus er nog een schepje bovenop. 'Wees maar blij dat je hem niet kent!'
Ik zuchtte. 'Eh, eigenlijk ... ken ik hem maar al te goed! Die man, *eh muis,* die oerknager is mijn neef **Klem!**'
'Je meent het? Kun jij hem dan niet eens vertellen dat hij af en toe zijn snuit moet houden?' wilde Speurneus weten.
'Eh, ik denk niet dat me dat gaat lukken ...' mompelde ik. We groetten de directrice van het museum en liepen naar de HERBERG van Klem.
Toen we daar binnenkwamen, stonden er een paar knagers op het podium die moppen vertelden. De gasten lagen eerst dubbel van het lachen, maar begonnen daarna ineens met

Hilarische oermoppen

Een dino gaat aan boord van een schip.
De kapitein kijkt hem aan en vraagt:
'Waarom staat de boot onder water?'
De dino antwoordt: 'Omdat ik te veel vlees heb gegeten.'
'En waarom heb je te veel vlees gegeten?' vraagt de kapitein.
'Omdat het vlees in de aanbieding was!'

Een gast klaagt tegen de ober: 'Er zit een vlieg in mijn soep, breng me nieuwe!'
De ober roept naar de keuken: 'Kok, een andere vlieg voor deze gast hier!'

Er zijn twee sabeltandtijgers verdwaald in de woestijn. 'Ik heb twee nieuwtjes voor je, een slecht en een goed', zegt de een tegen de andere. 'Welke wil je het eerst horen?'
'Het slechte!'
'Vandaag eten we alleen maar zand!'
'En wat is dan het goede nieuws?'
'Kijk eens om je heen, er is genoeg!'

Er lopen twee mammoeten door de woestijn, zegt de ene tegen de andere: 'Pas op het is hier glad!'
'Hoe kom je daar nu bij?'
'Zie je niet dat ze gestrooid hebben dan?'

ROTTE eieren naar de moppentappers te gooien.

Natuurlijk! Het was **Nationale Oer-moppentapdag!** Hoe had ik dat kunnen vergeten?!

De strijd was in volle gang, en er waren veel deelnemers die de prijs wilden winnen: een maxigaloposaurus met vierpootsaandrijving.

Terwijl we de eieren ontweken die door de zaal VLOGEN (de laatste mop was niet echt in de smaak gevallen blijkbaar!), kwam Klem op ons af lopen om ons te begroeten en zijn zakenpartner-knagerin voor te stellen: **Kokkie Rel.**

Kokkie had de leiding in

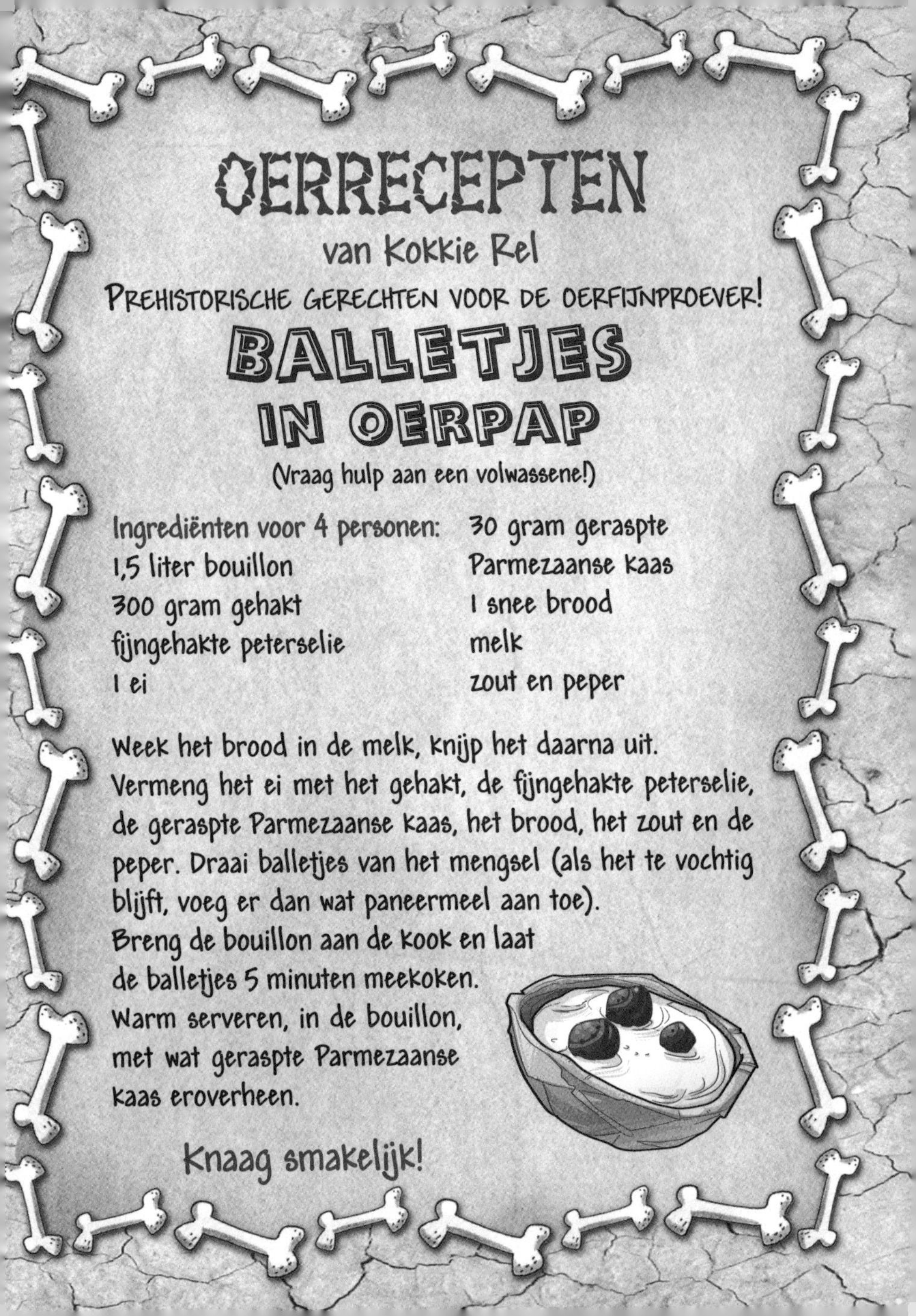

OERRECEPTEN

van Kokkie Rel

PREHISTORISCHE GERECHTEN VOOR DE OERFIJNPROEVER!

BALLETJES IN OERPAP

(Vraag hulp aan een volwassene!)

Ingrediënten voor 4 personen:
1,5 liter bouillon
300 gram gehakt
fijngehakte peterselie
1 ei
30 gram geraspte Parmezaanse kaas
1 snee brood
melk
zout en peper

Week het brood in de melk, knijp het daarna uit. Vermeng het ei met het gehakt, de fijngehakte peterselie, de geraspte Parmezaanse kaas, het brood, het zout en de peper. Draai balletjes van het mengsel (als het te vochtig blijft, voeg er dan wat paneermeel aan toe).
Breng de bouillon aan de kook en laat de balletjes 5 minuten meekoken.
Warm serveren, in de bouillon, met wat geraspte Parmezaanse kaas eroverheen.

Knaag smakelijk!

de keuken en was beroemd in heel Rotsfort en omstreken vanwege haar gerechten, die zwaar op de maag lagen. Meestal had je een heel TIJDPERK nodig om haar kookkunsten te verteren!
Kokkie reikte ons een bord aan en vroeg: 'Zin in gorgonzolafondue?'
Ik haastte me te zeggen: 'Nee, bedankt! We willen alleen wat informatie ...'
Maar Klem liet me niet eens uitpiepen. Hij wees op een korte dikke knager en zei: 'Dan moeten jullie bij Al Weetal zijn! Wat er ook gebeurt in Rotsfort, hij is er van op de HOOGTE! Hij kan jullie zeker helpen!'
We liepen naar het tafeltje waar Al Weetal zat en legden hem in het kort ons probleem uit.
'Iemand heeft de vuursteen uit het Rotsforts Museum gestolen. We denken dat de DADER

een katachtige is, maar we hebben geen idee wie.'
Weetal krabde zich eens achter de oren en zei:
'Dus ... dus ... gezien de WAARDE van het gestolene en de locatie, zou ik zeggen ... ik denk ... volgens mij ... zoeken jullie ... *een kat!*'
'HARTSTIKKE BEDANKT!' spotte ik.
'Dat wisten we al! Maar welke kat?'

Op naar Moskat!

Kokkie Rel viel ons in de rede: 'Laat hem maar, ik kan jullie beter helpen! Er is een kat die uitvindingen verzamelt; zijn naam is **TIJGER KHAN ...** Dat heeft de neef van de tante van mijn zwager tegen zijn kapper gezegd, en hij had het weer van de oma van de tandarts van de broer van iemand, die gevangen was genomen door Tijger Khan maar wist te ontsnappen!'
Ik **RILDE.** Iedereen weet wie Tijger Khan is: de angstaanjagende leider van de **Bende van Katachtigen,** een strijdlustige stam sabeltandtijgers die vijand nummer één is voor iedereen in Rotsfort.

'Ik wil naar huis!' kreunde ik en ik trok Speurneus mee. 'Ik ben tenslotte je assistent niet!' Speurneus schudde zijn kop en zei: 'Ook al ben je mijn assistent niet, je bent wel mijn **vriend,** of niet soms? Je laat me toch zeker niet helemaal alleen naar die bende katachtigen gaan?'

Daar kon ik niets tegen inbrengen: voor ons oerknagers is **vriendschap** erg belangrijk! En zo kwam het dat Speurneus me, nog voor ik me kon bedenken, **meesleurde** naar de Fladderklip van Rotsfort. Toen we aan-

kwamen bij de balie, kocht hij twee kaartjes tegen een wel heel voordelig tarief.
'Wat ben ik toch goed, Geronimo! Ik heb twee kaartjes tegen BODEMPRIJS bemachtigd!'
Maar toen ik de dinosaurus zag waarmee we zouden vliegen, begreep ik waarom de kaartjes zo goedkoop waren …
Het was een oeroude en VERSLETEN dino, een ballonosaurus, die een paar meter boven de grond in de lucht hing.
Onder de ballonvormige dino bungelde een rafelig mandje dat met touwen aan zijn lichaam was bevestigd. Bij het instappen stotterde ik: 'W-weten w-we zeker dat we het hiermee gaan halen?'
De ballonknager, een oude brokkenpiloot, antwoordde kortaf: 'Geen gezeur! Instappen, we gaan vertrekken!'

De ballonosaurus

Voor de start krijgt de ballonosaurus een flinke portie geconcentreerde Superbonensoep: zijn maag vult zich met lucht en zo kan het opstijgen beginnen. Aan boord staat voor noodgevallen altijd een extra portie Superbonensoep klaar, anders zou hij zomaar eens kunnen neerstorten!

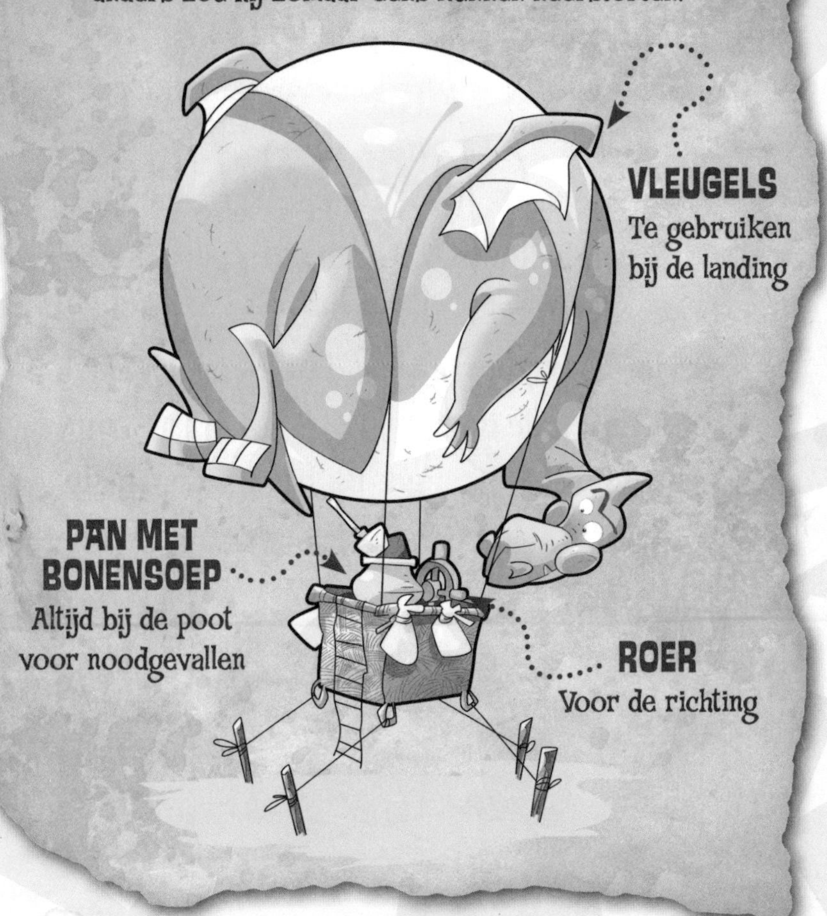

DE BONENSOEP!

We waren nog niet aan boord of hij gooide me een stuk **vacht** toe, waar nog een stuk staart aan zat, en gebaarde me dat aan te trekken. Ik wist niet waar de vacht voor diende, maar daar kwam ik snel genoeg achter …
BIBBEREND van angst gaf ik Speurneus een por: 'W-weet j-je zeker dat we veilig in Moskat aankomen?'
De piloot riep: 'Op naar Moskat!' en hij gooide de **BALLAST** overboord. Langzaam ging de ballon de lucht in. De dino sloeg wild met zijn vleugels om zich heen en wiebelde vervaarlijk. Ik trilde als een **MAMMOETMELK-DRILPUDDING**, zo bang was ik. Maar Speurneus had nergens last van, die viel als een **BLOK** in slaap en werd pas uren later wakker, toen we omringd werden door de **geur van verrotting**. Hij opende een oog, snoof de stank op en kondigde aan: 'Eh … vol-

IK HEB HOOGTEVREES!

gens mij zijn we bijna in Moskat!'
Ik leunde over de rand van de mand en zag dat we boven een gekarteld schiereiland vlogen, waar een zoemende WOLK vliegen boven hing ...
Terwijl ik naar beneden tuurde, gaf Speurneus me plotseling een schop tegen mijn achterste en tuimelde ik overboord. Hij brulde me na:

Ik gaf een ruk aan de staart, waardoor de vacht zich openvouwde en ik **schommelend** op de wind omlaag zweefde, terwijl ik Speurneus nog net hoorde brullen: **'Pas op de stront, Stilstone!'**

Tot mijn schrik zag ik onder me een paar enorme strontbergen oprijzen, die steeds sneller dichterbij kwamen. Walg! Even later landde ik in een berg **uitwerpselen** van een gigantoraptor … In de hele ijstijd vind je geen dino die erger stinkt!

Ik hapte nog naar adem, toen de aarde ineens begon te TRILLEN ... Ik keek op en zag een enorme staart vlak boven me.

Voor ik een KREET kon slaken, legde Speurneus zijn poot over mijn snuit. 'Stil Geronimo, die T-rex gaat de goede kant op, daar kunnen we beter van profiteren! Zorg dat hij je niet ziet als je zijn staartje vastgrijpt!'

STAARTJE?!? Dat kon je heus wel een staart noemen! Als dat beest één keer met zijn staart zwaaide was heel Moskat weggevaagd!

Maar Speurneus had gelijk en dus klemden we ons vast aan die GI-GA-GANTISCHE staart ...

En zo, meters boven de **aarde** heen en weer bungelend, gingen we naar de plaats waar **TIJGER KHAN** zijn tenten had opgeslagen.

'Vooral niet loslaten, vriend', fluisterde Speurneus. 'Anders *SPAT* je uiteen als een brontosaurusei!'

Na wat een eeuwigheid leek, kwamen we eindelijk aan bij het kamp van de verschrikkelijke

SABELTANDTIJGERS.

'We zijn er, Geronimo!' kondigde Speurneus aan

en draaide zich naar mij om. 'We zijn er!'
We lieten ons langs de staart naar beneden glijden en **verstopten** ons rattenrap achter een rots.
Voor ons lag het kamp van Tijger Khan, daar woonden de vreselijke **KATACHTIGEN** met hun scherpe tanden!

BRRRR! IK ZAT IN DE RATTENRATS!

Ik fluisterde: 'Zeg Speurneus, heb je een plan?'
'Plan? Wat voor een plan?' vroeg hij verrast.
'Hoezo?!? Je gaat me toch niet vertellen dat je me hierheen hebt gesleept zonder dat je een plan hebt?'
'Ach,' antwoordde hij nonchalant, 'ik improviseer wel wat ...'
'**Improviseren?!** Hoe dan? Wat?' vroeg ik bijna gillend.

DAAR ZIJN ZE!

HET TENTENKAMP VAN TIJGER KHAN

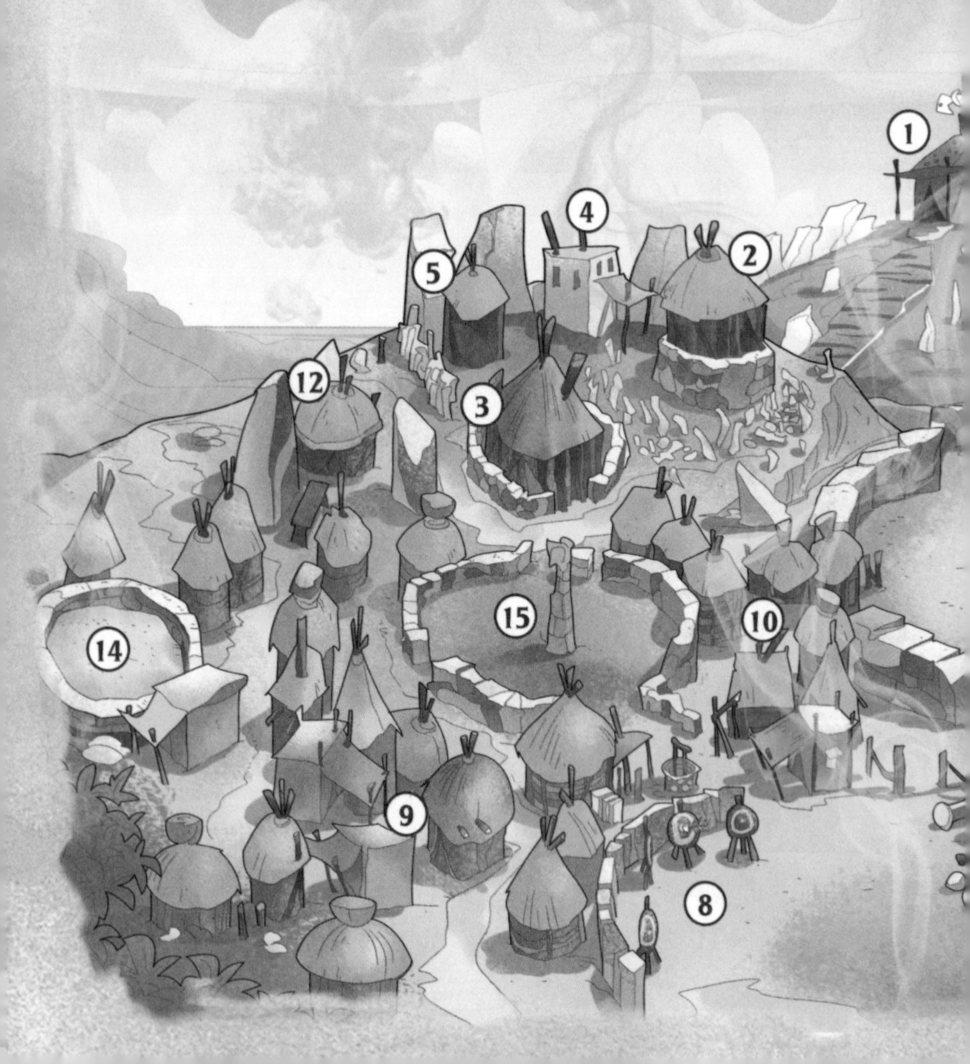

KAART VAN HET TENTENKAMP VAN TIJGER KHAN

1. TENT VAN DE COMMANDANT
2. TENT VOOR DE COLLECTIE VAN DE COMMANDANT
3. TENT VOOR DE WAPENS VAN DE COMMANDANT
4. TENT VOOR DE BUIT VAN DE COMMANDANT
5. PRIVÉGYMZAAL VOOR DE COMMANDANT
6. GEVECHTSARENA
7. GYMZAAL
8. SCHIETBAAN
9. GENERAALSTENTEN
10. TENTEN ELITECOMMANDO'S
11. TENTEN REKRUTEN
12. VOORRAADKAMER STINKENDE OERVIS
13. GEVANGENIS
14. "BEDDENGOED" GEBIED
15. KRABPAAL

'Ssst! Niet zo HARD! Wil je dat ze ons hier vinden?' vroeg Speurneus en hij sloeg een poot voor mijn snuit.
Hij zei: 'Als jij nu eens naar de tent van de commandant sluipt, de vuursteen pakt en …
WEGRENT!'
Voor ik ook maar kon protesteren, had hij me een DUW naar voren gegeven.
'Speurneus,' fluisterde ik, 'dit zet ik je betaald!'
Hij deed alsof hij me niet hoorde en zei:
'KOM OP, STILSTONE! Ga, zie en overwin! Stiller dan een pelsluis, sneller dan een meteoriet en dodelijker dan de beet van een T-REX!'
Ik had geen keus en sloop naar het midden van het kamp. Mijn tanden klapperden en het zweet droop uit mijn snorharen van pure ANGST.
Uit de tenten klonk een DIEP, angstaanja-

gend gesnurk: 'Snurk!'

Het stonk overal verschrikkelijk, dat waren waarschijnlijk de vissen die de tijgers in grote TONNEN MET ZOUT bewaarden.

Ik kneep mijn snuit dicht en liep verder.

Plotseling voelde ik iets, iets met scherpe TANDEN, aan mijn staart trekken.

Ik riep: 'Au! Laat me gaan! Eet me niet op! Ik ben taai! Ik ben giftig!'
Ik draaide me om, ik wist zeker dat ik oog in oog zou komen te staan met een TIJGER, klaar om me te verschalken, maar … het was maar een takje van een doornenstruik!
Wat een watje, ik was helemaal voor niets geschrokken!
Ik slaakte een diepe zucht van opluchting en wilde verder sluipen naar de grootste tent van het kamp, toen er een SCHADUW voor me opdook …
Er klonk een angstaanjagende grom:

GRRROOMMMMMM!

Plotseling werd ik door twee scherpe klauwen opgetild en in de lucht gehouden. Ik had uitzicht op twee DODELIJKE, scherpe TANDEN in een opengesperde bek, die klaar was om me te verorberen …

De katachtige BLIES zijn stinkende adem recht in mijn snuit: 'Hé, jij! Je bent zo goed als uitgestorven! De grote TIJGER KHAN (dat de Grote Donder hem moge sparen) houdt niet van indringers!'

Hij bekeek me eens beter, hield me omhoog aan mijn staart, en zijn blik veranderde op slag.

'Ik denk dat hij voor jou wel een UITZONDERING

maakt, hahaha!' grinnikte hij. 'Hij is gek op muizen ... HIJ LUST ZE RAUW!'

Ik stotterde: 'I-ik b-ben geen smakelijk hapje! Ik ben de laatste tijd ook nogal afgevallen ... ik ben jullie commandant niet WAARDIG!'

'DENK JE ME TE SLIM AF TE ZIJN?' vroeg hij streng. 'Je bent een prima hapje vooraf voor onze commandant, knager!'

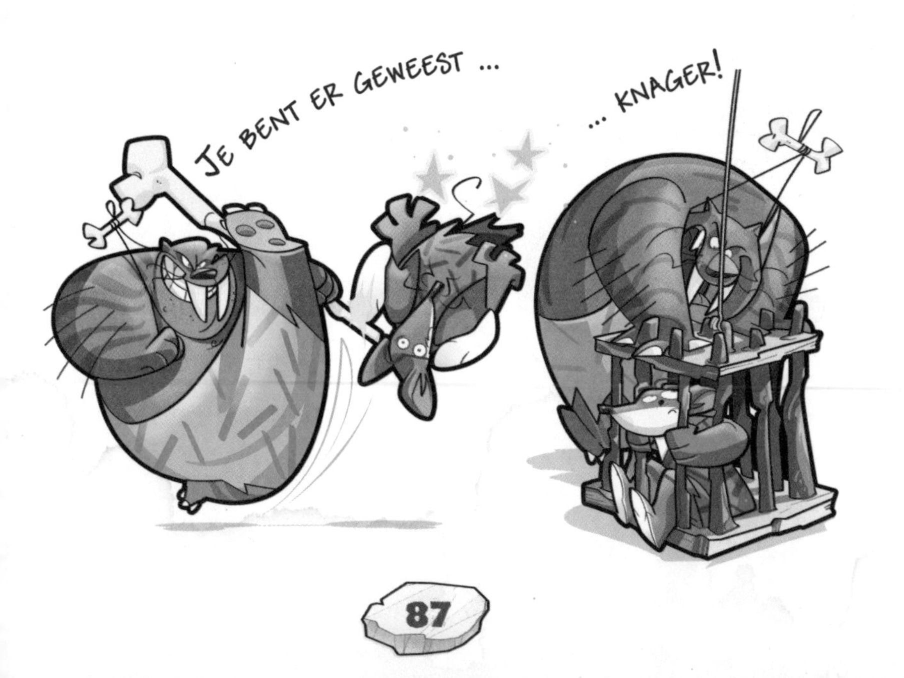

Terwijl hij dat zei, sloot hij me grinnikend op in een KOOITJE dat aan een touw hing in de keuken.

'Hier kom je pas uit … als je lekker vet gemest bent!'

WANHOPIG zocht ik de omgeving af naar Speurneus, maar ik zag hem nergens: waar had hij zich VERSTOPT? Wel zag ik een hele stoet katachtigen onder me langs trekken, ze keken likkebaardend omhoog. Het KWIJL

droop uit hun snuiten.
'Waarom eten we hem nu niet?'
'Tja, hij is wat ieltjes ...'
Ik trok snel mijn buik in.
De tijger die me had gevangen, joeg de rest weg met zijn scherpe KLAUWEN.
'Kssst! Wegwezen, allemaal! Deze knager staat niet op jullie menu! Dat is een HAPJE voor onze commandant, Tijger Khan!'
Hij schoof me een oerham toe en beval: 'Eten jij! Dikker worden is jouw taak! Gymnastiek is verboden!'
De hele nacht zat ik alleen in de kooi … tot de tijger de volgende ochtend kwam controleren of ik al dik genoeg was.
'Hang je staart naar buiten!' snauwde hij.
Hij voelde eraan. 'Dat schiet niet op!' bromde hij en liep weer weg.

'Geef hem meer **hammetjes!'** riep hij naar de tijgers. 'Voer de gevangene, zo veel mogelijk!'

En zo at ik:

37 OERHAMMEN, van groot tot klein!

82 KRUIWAGENS vol fijngehakt gigantoraptorvlees!

6 **BERGEN** karbonaadjes!
12 SPIESEN gemengd vlees!
15 eieren van een brontosaurus!
Ik kon niet meer, ik zat voller dan vol!

Nadat er nog een dag voorbij gegaan was, begon ik zo dik te worden, dat ik bijna uit mijn kooitje barstte. De tijgers konden weleens besluiten me op te ETEN ...

En inderdaad, even later kwam de tijger die me gevangen had vertellen: 'Vanavond sta je als HARTIG TUSSENDOORTJE op het menu van Tijger Khan (dat de Grote Donder hem moge sparen)!'

Ik werd LIJKBLEEK. 'W-waarom vanavond?' stotterde ik. 'Kunnen we niet nog een dagje wachten? Dan ben ik nog veel lekkerder ... ik kan nog een paar SPIESEN eten ...'

De katachtige schudde zijn kop en zei: 'Nee, het staat vast! Vanavond is er een groot feest ter ere van Tijger Khan, om de GROTE INVASIE te vieren die … morgen … zal plaatsvinden!'

Op dat moment zag ik uit alle windrichtingen katachtigen en andere WILDE dieren komen!

Het waren bondgenoten en strijdmakkers van Tijger Khan, die kwamen om hem en zijn clan bij te staan in de aanval op ... **Rotsfort!**
Toen ik Tijger Khan die avond te zien kreeg, begreep ik meteen waarom iedereen hem zo **VREESDE.**
Vier beren droegen hem op een **DRAAG-STOEL** naar binnen. Hij zag eruit als een

sluwe kater met een gewetenloze grijns op zijn snuit. Zijn vacht was glanzend en vanonder zijn snorharen staken twee enorme sabeltanden naar voren, SNEEUWWIT en vlijmscherp. Tijger Khan hield een voorwerp in zijn rechterpoot geklemd dat ik onmiddellijk herkende … de VUURSTEEN!

Het was dus waar: die was in zijn opdracht gestolen!

Tijger Khan ging op zijn troon zitten en legde de steen op een granieten zuiltje.

Hij zei: 'Mijn krijgers, mijn gevreesde Bende van Katachtigen en alle WILDE strijdmakkers, ik heb groot nieuws voor jullie. Ik heb een nieuwe aanwinst voor mijn verzameling

uitvindingen: *de machtige vuursteen!'*

Een verbaasd gemompel steeg op onder de krijgers.

'Ik weet nog niet hoe ik hem moet gebruiken,' ging Tijger Khan verder, 'maar dankzij de macht van deze steen worden we **ONZICHTBAAR.**

Morgen, bij zonsopkomst ... *vallen we Rotsfort aan!* Nu gaan we het groots vieren, we gaan beginnen ... ik heb honger als een leeuw, hahaha!'

Iedereen riep:

'LEVE TIJGER KHAN!'

'Een lang leven met veel vers voer voor Tijger Khan!'

'Dat de Grote Donder hem moge sparen!'

En:

'... SMAKELIJK ETEN, TIJGER KHAN!'

De gevreesde commandant van de tijgers stak een nagel uit en wees in mijn richting: 'Doe mij die maar als hapje vooraf!'
Twee grote en dikke KATACHTIGEN sleurden me uit het kooitje en brachten me naar de TROON van Tijger Khan.
Op dat moment, net toen ik dacht

dat alles verloren was en ik uit zou sterven, zag ik een wel heel BIZAR type aan komen lopen …

Er zwermden zo veel vliegjes om hem heen, dat ik niet eens goed zijn snuit kon zien.

Hij droeg een KETTING van sabeltandtijgertanden om zijn nek en schelpenarmbanden om zijn poten en dijen. Ze rinkelden bij iedere stap.

'Opzij, maak plaats!' brulde het vreemde wezen, terwijl hij plechtig voorwaarts schreed.

'Laat Sjam, de vreemde sjamaan, erlangs!'

Iedereen ging aan de kant en mompelde:

'DAT IS INDERDAAD EEN VREEMDE SJAMAAN …'

Die knager is onaanraakbaar

De sjamaan zwaaide met een stok met het SCHILD van een schildpad erop, en brulde uit volle borst: ‘Opzij, hier komt Sjam, de vreemde sjamaan … of moet ik jullie soms in **dinopoep** veranderen?’

De hele horde ging snel aan de kant. In onze tijd, de steentijd, zijn er heel wat sjamanen en je weet maar nooit wat ze allemaal in hun schild voeren.

Sjam, de sjamaan kwam op me af, en hield vlak voor de troon van Tijger Khan stil.

Hij schraapte zijn keel en riep luid: ‘Ik heb **SLECHT NIEUWS** en goed nieuws voor

jullie! Wat willen jullie het eerst horen?'
Er brak tumult los.

'EERST HET SLECHTE!'

'NEE, HET GOEDE!'

De sjamaan onderbrak hen: 'Het slechte nieuws is dat deze oermuis onaanraakbaar is, als jullie hem opeten brengt dat ONGELUK! Jullie snorharen vallen uit ...'
De hele horde brulde:

'NEE, NIET DE SNORHAREN!'

'... jullie staart krimpt ...'

'NEE, NIET DE STAART!'

riep de hele horde in koor.
Sjam ging zonder medelijden verder: '... jullie krijgen de mazelen, de tijgergriep of scheurbuik ... En dat is nog niet alles: met het eten van

die muis roep je *de toorn van de Grote Donder* over je af!!!'

Deze boodschap zaaide paniek.

'NEE, NIET DE GROTE DONDER!

We willen niet verbrand worden!'

De hele horde was behoorlijk onder de indruk, behalve Tijger Khan. Hij trommelde met zijn NAGELS op de leuning van zijn troon en zei: 'Ik ben niet bang, voor niets en niemand, ook niet voor de Grote Donder! Ik eet die muis, ik lust hem RAUW! En wie ben jij dat je Tijger Khan durft te zeggen wat hij wel of niet mag eten?!'

'Pas op, Tijger Khan', waarschuwde Sjam, de sjamaan. 'Zelfs jij kunt de toorn van de Grote Donder niet weerstaan!'

Tijger Khan wierp hem een VURIGE blik toe:

'Goed, geef dan maar eens een voorbeeld van je macht, sjamaan!'
'Zoals je wilt, commandant!' antwoordde Sjam. 'Het goede bericht is: dat ik het geheim van de vuursteen ken en je dat wil vertellen!'
De grote Khan leefde helemaal op: 'Goedgoedgoed! Laat mij de macht van de legendarische vuursteen zien en misschien, heel misschien, vreemde sjamaan, laat ik je staart zitten waar hij zit!'
Plechtig pakte de sjamaan de vuursteen, daarna haalde hij uit zijn knapzak een plukje droog stro en raapte hij een RUWE STEEN op van de grond.
Hij wreef de twee

stenen tegen elkaar waardoor er een vonk afspatte, op het droge stro … in luttele seconden laaide er een knappend vuurtje op, voor de poten van de sjamaan …

'OOOOOOOOOOOOOOOO!'

De katachtigen waren met stomheid geslagen. De sjamaan maakte dankbaar gebruik van dit moment van opwinding: hij draaide zich naar mij om en … gaf me een knipoog! Vreemd! Hij legde de steen terug

De "magie" van het vuur!

In de prehistorie werd het vuur ontstoken met een speciale steen, die rijk was aan zwavel. Om de vonken er af te laten spatten moest de steen tegen een ander ruw oppervlak gestreken worden. en je had natuurlijk iets nodig dat snel vlam vatte … droog stro bijvoorbeeld. Even krachtig tegen elkaar wrijven en … in een flits laaide het vuur op!

op de zuil en **RIEP:** 'Dit is nog niet alles! Wat nu volgt is ongelooflijk **magisch!'**
Hij wroette in zijn knapzak, haalde er wat poeder uit en strooide dat in het vuur.
'SJAMS TRUC NUMMER EÉN:
kleurrijke vlammen!'
Uit het vuur stegen **groenige** vlammen op en iedereen begon hevig te kuchen ...

'En dan hebben jullie **SJAMS TRUC NUMMER TWEE** nog niet gezien: *de vuursteen die er niet is!'* kondigde de sjamaan aan.

Hij liep naar de marmeren zuil, legde een grote **VUILE** zakdoek over de steen en bleef onbeweeglijk staan wachten.

'En één, twee, drie … o, wonder van de Grote Donder!'

De sjamaan trok de zakdoek weg:

OP DE ZUIL LAG NIETS MEER!

Tijger Khan liep op hem af, maar Sjam gooide snel nog wat kruiden in het vuur.

'En dat is **SJAMS TRUC NUMMER DRIE:**

het verdwijnen van het hapje vooraf!'

Uit het vuur steeg een dikke mistwolk op, de tijgers zagen niets meer …

Sjam, de vreemde sjamaan greep me beet en **SLEURDE** me mee …

BRANDNETELPOEDER EN ...

Omgeven door de MIST, hoorde ik een stem die zei: 'Ik had je daar nooit achtergelaten, vriend ...'

Toen herkende ik hem pas: Sjam, de vreemde sjamaan was niemand anders dan ... mijn vriend Speurneus!

'Sorry dat ik er zo lang over deed!' VERONT-SCHULDIGDE hij zich. 'Maar ik moest me verkleden als sjamaan en zwavel vinden voor die truc met het vuur.'
Ontroerd omhelsde ik hem. 'Dankjewel, je bent een echte vriend!'
Speurneus gaf me een klap op mijn schouder: 'Genoeg GESLIJMD ... laten we maken dat we wegkomen voor ze ons grijpen!'
Dat liet ik me geen tweede keer zeggen. We renden alsof ons leven ervan afhing, en dat was ook zo … de Clan van Tijger Khan zat ons op de hielen!
De weg was lang en toen ik eindelijk buiten adem aankwam in Rotsfort was ik al mijn overgewicht weer kwijt!
We bonkten op de stadspoort: 'Doe snel open! De tijgers zitten achter ons aan! Snel, of we

zijn er geweest!' We waren nog maar net binnen en de poort was nog niet eens helemaal dichtgevallen, toen we de NAGELS van de tijgers al in het hout hoorden krabben!
Ze verspreidden zich over de OMHEINING die de stad omringde, klaar om aan te vallen, terwijl ik het anti-invasie-alarm hoorde afgaan:

TAMTA-TAM!
TAMTA-TAM!
TAMTA-TAM!

Speurneus en ik vertrokken rattenrap naar het museum om de VUURSTEEN in veiligheid te brengen.
En tegelijkertijd kwam Fanfare Vergezicht, de (echte) sjamaan, tevoorschijn om te vertellen dat hij de tijgers met zijn magische krachten op de vlucht zou laten slaan ... Maar zoals gewoonlijk geloofde niemand hem ...

Om niet voor hem onder te doen, stond ons dorpshoofd, **Dikbuik Bokkenpruik,** op zijn draagschild om daarvandaan de verdediging te regelen.

'**RUK DE STANKOSAURUSSEN AAN!** Haal de brandnetels! Laad de katapulten!'

Voor hij al zijn bevelen had kunnen brullen, **BARSTTE** de strijd al los.

De vijand was hopeloos verloren tegen de walgelijke GEUR van onze verdediging!
Eerst werden de katapulten ingezet, die ladingen stinkende bruine mest over de KATACHTIGEN uitstortten!
Vervolgens de ballonosaurussen, die de vijand met brandnetelpoeder bestrooiden.
De sabeltandtijgers werden gek van de jeuk en begonnen zich verwoed te krabben.
En om het geheel af te maken, werden de stankosaurussen aangerukt om ze met stankwater onder te SPUITEN! Er zat voor de tijgers niets anders op dan zich meteen UIT DE POTEN te maken!

TATUTATU!
TEN AANVAL!
HOU MOED TIJGERS!

DAAR KOMT
DE MEST!
HIERZO!
WEGWEZEN!

VICTORIE!!!

De tijgers gingen **ERVANDOOR** en lieten zich lange tijd niet meer zien, en de Rotsforters vierden de overwinning!

'WE HEBBEN GEWONNEN!'

'We laten ons niet piepelen!'

'Hoera voor de knagers, en boe voor de tijgers!'

Ik ging snel naar het *Rotsforts Rumoer* om het nieuws te beitelen nu het nog **NIEUWS** was. Op de stoep van mijn kantoor kwam ik mijn zus Thea tegen; ze omhelsde me en zei: 'Goed gedaan, Geronimo! Je hebt de vuursteen van de **TIJGERS** teruggestolen!'

'Ja,' antwoordde ik glimmend van **TROTS,**

'samen met Speurneus. We hebben hem al teruggebracht naar het museum!'
Die avond werd de victorie gevierd met een groot feestbanket, op basis van **oerhammetjes**, **mammoetkaas-tosti's** en DINO-EI-OMELET.
Mjam, prehistorisch lekker!
Na het eten haalden de muzikanten van het dorp hun instrumenten tevoorschijn om een leuk DEUNTJE te spelen.
Van alle kanten stroomden de knagers toe om zich op de dansvloer te wagen! Even later werd er zelfs een polonaise gelopen!

Kortom, een muizenissig feest!

Helaas kwam Volumnia Bokkenpruik naast me

BLIJF MET JE POTE
VAN MIJN SCHAAL AF!
BURP!
EEN OERHAMMETJE VOOR MIJ!

JA HOOR, SCHAT!
EN DAT ALLEMAAL DANKZIJ MIJ!
LEKKERE HAMMETJES!

Prehistorische tafelmanieren

(LET OP: ALLEEN VOOR PREHISTORISCHE HOLMUIZEN!)

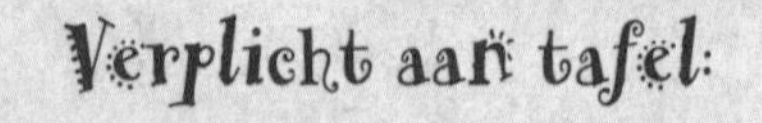

Verplicht aan tafel:

EEN BOER LATEN NA HET ETEN.

JE SNUIT SNUITEN IN JE SERVET.

JE VUILE POTEN AFVEGEN AAN DE VACHT VAN JE BUURKNAGER.

JE BROODPAP LUIDRUCHTIG OPSLURPEN.

BOTJES UITSPUGEN.

zitten, de **echtknagerin** van dorpshoofd Dikbuik, die haar snuit niet kon houden en maar door bleef piepen.

DIT HEBBEN WE AAN MIJ TE DANKEN!

'Deze **OVERWINNING** hebben we aan mijn echt-knager Dikbuik te danken, of nee: aan mij! Ik voorzie hem altijd van **goede** adviezen, al zeg ik het zelf ...'

Volumnia Bokkenpruik

Even verderop zat sjamaan Fanfare Vergezicht te **brommen:** 'Ik zie ... ik zie ... ik zie ... dat we een aanval hebben afgeweerd maar de **STRIJD** nog niet hebben gewonnen! De Clan van Tijger Khan staat snel genoeg weer voor de poort!'

'Dat kunnen we zelf ook wel bedenken!' ant-

woordde Dikbuik, die aan een oerhammetje kloof. 'Die TIJGERS weten niet van ophouden! Ons aanvallen en onze uitvindingen stelen, dat is wat ze kunnen!'

'Even over uitvindingen,'[9] kwam Fossilia, de museumdirectrice, tussenbeide, 'ik heb een belangrijke mededeling! Dankzij de inzet van twee moedige dorpsknagers is de VUURSTEEN, de belangrijkste uitvinding, weer terug in het museum!'

Iedereen riep: 'OOOOO!'

Ze zei: 'Ik wil de twee helden die hun hachje waagden om hem terug te brengen naar ons dorp, daarvoor hartelijk bedanken: Speurneus en Geronimo!'

Na deze woorden barstte er een applaus los.

'HOERA VOOR SPEURNEUS

Kortom, alles liep dit keer goed af, maar voor de toekomst … ben ik niet zo zeker. Het leven in de prehistorie is niet zonder **GEVAREN** … en loeizwaar …

Zowaar ik Geronimo Stilstone heet!

INHOUD

Geronimo Stilton

Serie:

1. Mijn naam is Stilton, Geronimo Stilton
2. Een noodkreet uit Transmuizanië
3. De piraten van de Zilveren Kattenklauw
4. Het geheimzinnige geschrift van Nostradamuis
5. Het mysterie van de gezonken schat
6. Het raadsel van de Kaaspiramide
7. Bungelend aan een staartje
8. De familie Duistermuis
9. Echte muizenliefde is als kaas…
10. Eén plus één is één teveel
11. De glimlach van Lisa
12. Knagers in het donkere woud
13. Kaas op wielen
14. Vlinders in je buik
15. Het is Kerstmis, Geronimo!
16. Het oog van Smaragd
17. Het spook van de metro
18. De voetbalkampioen
19. Het kasteel van markies Kattebas
20. Prettige vakantie, Stilton?!
21. Een koffer vol spelletjes
22. De geheimzinnige kaasdief
23. Een weekend met een gaatje
24. Halloween: lach of ik schiet
25. Griezelquiz op leven en dood
26. Gi-ga-geitenkaas, ik heb gewonnen!
27. Een muizenissige vakantie
28. Welkom op kasteel Vrekkenstein
29. De rimboe in met Patty Spring!
30. Vier knagers in het Wilde Westen
31. Geheime missie: Olympische Spelen
32. Het geheim van Kerstmis
33. De mysterieuze mummie
34. Ik ben geen supermuis!
35. Geheim agent Nul Nul K
36. Een diefstal om van te smullen
37. Red de witte walvis!
38. De indiaan met het gouden hart
39. Terug naar kasteel Vrekkenstein
40. De roof van de gi-ga-diamant
41. Oei, oei, ik zit in de knoei!
42. De ontdekking van de superparel
43. Wie heeft Schrokopje ontvoerd?
44. Dertien spoken voor Duifje Duistermu
45. Het hollende harnas
46. Goud in gevaar
47. De schat van de duikelende dakhazen
48. Duifje, het spijt me!
49. Een monsterlijk mysterie
50. De karatekampioen
51. Schattenjacht in de Zwarte Heuvels
52. De schat van de spookpiraat
53. De kristallen gondel

Ook verschenen:

* De avonturen van koning Arthur
* De avonturen van Odysseus
* De grote invasie van Rokford
* Fantasia
* Fantasia II - De speurtocht naar het gel
* Fantasia III
* Fantasia IV - Het drakenei
* Fantasia V
* Fantasia VI
* Geronimo's kleur- en spelletjesboek
* Geronimo's Sprookjesboek
* Het boekje over geluk
* Het boekje over vrede
* Het ware verhaal over Geronimo Stilto
* Knaag gezond, Geronimo!
* Knutselen met Geronimo & co
* Reis door de tijd
* Reis door de tijd 2
* Reis door de tijd 3
* Schimmen in het Schedelslot
* Tussen gaap en slaap
* Vakantie voor iedereen! (deel 1, 2 en 3)

Klassiekers:

- * Alice in Wonderland
- * De drie muisketiers (NL)
  De drie musketiers (BE)
- * De reis om de wereld in 80 dagen
- * De roep van de wildernis
- * Heidi
- * Het jungleboek
- * Het zwaard in de steen (NL)
  Koning Arthur (BE)
- * Onder moeders vleugels
- * Robin Hood
- * Sandokan, de piraat
- * Schateiland (NL) - Schatteneiland (BE)
- * Twintigduizend mijlen onder zee

Stripboeken Geronimo Stilton:

1. De ontdekking van Amerika
2. Het geheim van de Sfinx
3. Ontvoering in het Colosseum
4. Op pad met Marco Polo
5. Terug naar de ijstijd
6. Wie heeft de Mona Lisa gestolen?
7. Op naar de prehistorie!

De kronieken van Fantasia

1. Het Verloren Rijk
2. De Betoverde Poort
3. Het Sprekende Woud
4. De Ring van Licht

Superhelden

1. De bende van Ratstad
2. De invasie van de megamonsters
3. De aanval van de krekelwroeters
4. Superhelden tegen de dubbelgangers
5. Het gevaarlijke snotmonster!

Thea Stilton - serie

1. De Drakencode
2. De Thea Sisters op avontuur
3. De sprekende berg
4. De Thea Sisters in Parijs
5. De verborgen stad
6. Het ijzingwekkende geheim
7. Het mysterie van de zwarte pop
8. Schipbreuk in de ruimte
9. New York in rep en roer
10. Diefstal op de Oriënt Express
11. Op zoek naar de blauwe scarabee
12. Gekrakeel om een Schots kasteel

Stripboeken van Thea Stilton:

1. De orka van Walviseiland
2. De schat van het Vikingschip

Thea Stilton - Het leven op Topford:

1. Liefde in de schijnwerpers
2. Het geheime dagboek van Colette
3. De Thea Sisters in gevaar
4. De danswedstrijd
5. Het supergeheime project

Ook verschenen van Thea Stilton:

- * De prins van Atlantis

De prinsessen van Fantasia

1. De IJsprinses
2. De Koraalprinses
3. De Woestijnprinses
4. De Woudprinses

Joe Carrot

1. Eén minuut voor middernacht
2. De Vuurpijl
3. De ongrijpbare Rode Klauw
4. Het Duistere Huis
5. Het rupsenraadsel

Oscar Tortuga

1. Losgeld voor Geronimo
2. Wie wint Geronimo? (Om op te eten...)
3. De schat van kapitein Kwelgeest
4. Blijf met je poten van mijn goud af!
5. Er valt niets te lachen, Stilton!

Oerknagers

1. Wie heeft de vuursteen gestolen?

ALLE BOEKEN ZIJN TE KOOP BIJ DE BOEKHANDEL OF TE BESTELLEN VIA DE WEBSITE.

Lieve knaagdiervrienden,
tot het volgende oerspannende
avontuur van de
OERKNAGERS!